कविताओं की साझा डायरी

लेखक

डॉ. (इंजी.) आज़ाद जैन

डॉ. (आर्कि.) आशा जैन

Published By

Anybook

Cell : 9971698930

E-mail : contactanybook@gmail.com

Website : www.anybook.org

Price in India : 225/- INR

First published by Anybook in 2024
Copyright © 2024 Dr. Azad Jain & Dr. Asha Jain
Printed and bound in India
Cover Design & Typesetting by Anybook

ISBN : 978-93-91571-66-5

हमारी बात

प्रेम अनंत है, असीम है !

हम दोनों प्रेम करने वाले पहले-पहले तो नहीं हैं। लेकिन, कुछ मायनों में हमने अपने प्रेम को ख़ास महसूस किया है। कॉलेज में साथ-साथ पढ़ते हुए नज़दीक आए और फ़िर एक-दूसरे के लिए स्पेशल बन गए। इतने स्पेशल की एक-दूसरे से दूर होने और खोने के डर से भी सिहर जाते थे। ...फ़िर एक साझा डायरी की शुरुआत हुई। हम दोनों अपने जज़्बात को कविता की तरह एक ही डायरी में लिखने लगे। ये डायरी कभी इसके पास होती, तो कभी उसके! इस तरह जो बात रूबरू कह नहीं पाते थे, वो डायरी के माध्यम से साझा हो जाती थी। प्रेम के सबसे घनिष्ट रूप को भी प्राप्त किया, यानी विवाह के बंधन में बंध गए और ज़िंदगी अपनी रफ़्तार से चलने लगी। आम परिवार की तरह खूब सारे खट्टे-मीठे अनुभव भी होते रहे, जो आज भी जारी हैं। और आज ये कह सकते हैं कि प्रेम मंजता रहा, मज़बूत होता रहा, स्वरूप बदलता रहा और उसका बदलना अभी भी जारी है।

कविताओं की साझा डायरी आप तक पहुँचाने का एक मात्र उद्देश्य है, प्रेम के एक अनन्य भाव और अनुभव को आपसे साझा करना, ताकि प्रेम करते हुए आप भी हमारे इस अनुभव में विचर सकें...गह सकें।

आशा-आज़ाद।

समीक्षा

कविता वो है जो प्रस्फुटित हो...देश, काल और वातावरण से प्रभावित हुए बिना अंतकरण से बह उठे...भाव और शब्द के तारतम्य की परवाह किए बिना भी कागज़ पर उतरती जाए और अंत में वो संप्रेषित करने में सफल हो जाए जिसे हृदय के अंतस्थल में महसूस किया गया है।

आज़ाद जी और आशा जी की कविताएँ भी प्रस्फुटन हैं प्रेम के पवित्रतम, प्रारंभिक भाव का। आप दोनों की कविताओं में निश्छल प्रेम की सुगंध सुवासित होती है, साथ ही प्रेम का गहन और समर्पण भाव भी प्रगट होता है जो दोनों ने परस्पर एक साथ महसूस किया और एक ही डायरी में शब्दशः एक-दूसरे के लिए अभिव्यक्त किया। प्रेमाभिव्यक्ति की इस काव्य यात्रा में कई जगह शब्द लड़खड़ाते हैं, भाव उलझ जाते हैं लेकिन इस संघर्ष में भी मन में अंकुरित प्रेम, शिकायत, व्यथा और अंतर कथा को अभिव्यक्त कर जाते हैं...और यही तो है कविता का मूल उद्देश्य भी।

मैं आज भी कहता हूँ फ़ख़्र से
कि "तुम मेरी कृति हो"
तुम मेरे उन चुने हुए रंगों को मत धुँधलाओ
तुम जो थीं, जो हो, वो नहीं,
मेरे सपनों की कृति कहलाओ!

कविताओं की साझा डायरी की ये उपरोक्त नज़्म सारी कविताओं का प्रतिनिधित्व करती जान पड़ती है।

पंकज दीक्षित
कवि, जर्नलिस्ट

अनुक्रम

प्यारी निगाहें

यूँ तो तमन्ना नहीं हमें
अदने ऐशो-आराम की,
महसूस करते हैं हम अपना सुकून
धड़कती हुई हथेलियों में आपके,
मानो दिल ही हथेलियों पर आकर धड़क रहा हो
सच मानिए...देती हैं दिलासा हमें
आपकी प्यारी, सुरक्षापूर्ण निगाहें !

प्रेम

हम जब प्रेम में होते हैं
तो ख़ुद को
पूरी तरह
दूसरे पर उड़ेल देते हैं
और पूरे ख़ाली हो जाते हैं !
गर प्रेम करना है
फिर से,
तो पहले
ख़ुद का मरना ज़रूरी है

हम–तुम

एक बिंदु से शुरू हुए
हम,
कब, दो समान्तर रेखाओं में बदल गए
न तुम्हें पता चला, न हमें !

जीवन साथी

जीवन पथ पर चलने वाले
तुमको मेरे लाख प्रणाम,
तुम मुझमें हो, मैं तुममें
और किसी से क्या है काम !

समर्पण

बन जाओ तुम पत्थर
तो मैं तुम पर
फूल-फूल गिरता जाऊँगा !
तुम्हें क़द ऊँचा इतना दूँगा कि
तुम्हारी नीची निगाहें पा जाऊँगा !

साथ तुम्हारा

प्रीत की हर वो मंज़िल देखी है हमने
जिसमें हर पल साथ हो तुम्हारा !
इच्छा है आकाश में उड़ते रहने की
पर साथ है आपका, तो यकीं है हमें
कि सीमाएँ उड़ान की निर्धारित हो जाएँगी
स्वयं ही !
आत्मविश्वास और सरलता से
हम पा सकेंगे हर वो अनदेखी मंज़िल
जो शामिल है ख़्वाबों में हमारे !

नहीं चाहता मैं

'ऐसे' अवसरों पर सामान्यता

लोग कहते पाए जाते हैं

मेरी उम्र तुम्हें लग जाए !

माफ़ करना

मुझे स्वीकार नहीं !

लगाकर अपनी थोड़ी बहुत उम्र तुम्हें

मरना नहीं चाहता मैं !

क्योंकि चाहता नहीं मैं

तुम जियो मेरे बिना !

क्यों न ऐसा हो भला

तुम्हारी कुछ उम्र मुझे मिल जाए

...और इस सुअवसर पर

हो जाए हमारी उम्र का

गणितीय समीकरण बराबर

ताकि

हम जी सकें

एक दूजे के लिए

एक दूजे के साथ-साथ !

मैं अपनी आशा के लिए

आशा मेरे लिए

प्रिय आज़ाद

ज़िंदगी अगर दिलचस्प बातचीत होती

तो मैं तुम्हारे पहलू में बैठकर सुनती रहती !

लेकिन न जाने कब,

जाने कैसे,

हम थकने लगे !

ज़िंदगी के तनाव ने हमें आ घेरा,

हम राहों में खो गये,

तन खो गया, मन भी कहीं खो गया !

अब मैं फिर से

तुम्हारे चेहरे पर, खिलते हुए गुलाब देखना चाहती हूँ !

चाँदनी में घुले-घुले से

सुबहों में खिले-खिले से

वो किरण सी मुस्कराहट वाले होठों को चमकदार आँखों से

महसूस करना चाहती हूँ !

एक सुहानी सुबह आती है

हर सुहानी रात के बाद !

हमने साथ-साथ न जाने कितने फ़ासले तय किये,

तुमने हर क़दम पर मुझे समझा

मेरा साथ दिया,

लेकिन न जाने कब

तनाव ने हमें जकड़ लिया !

तन थका-थका सा रहने लगा

और मन बुझा-बुझा सा !
मैं चाहती हूँ कि हम फिर
एक दूसरे में खो जाएँ,
फिर से ज़िंदा करें, चाँदनी में घुले-घुले से
उन बीते हुए पलों को,
क्योंकि...एक सुहानी सुबह आती है
एक सुहानी रात के बाद

कविताओं की साझा डायरी !

आशा

आशा है
आप ख़ूब तरक़्क़ी करें
हर मंज़िल पर
सफलता
आपके क़दम चूमे !

साकार रूप

हूँ मैं पागल भी
पर प्यार की तुम्हारे,
हूँ मैं लता भी
प्रतीक्षित सहारे को तुम्हारे
हूँ मैं आशा भी
साकार रूप, स्वप्नों का तुम्हारे !

यादें, सुकून और दर्द

देख रहा था शाम को जाते हुए

विमुग्ध था मैं

सूर्य की डूबती आभा में

जाते हुए राही के अंतिम पदचिन्हों को

देख रहा था मैं, लाल- लाल किरणों में

और देखा मैंने उसमें एक और चेहरा

चाह रहा था जिसे मैं

पल-पल अपने साथ

जो था मेरे अंदर ही

पर जिसकी भौतिक उपस्थिति कर रहा था साकार मैं

सपनों में

बहता हुआ पानी याद दिला रहा था

उन पलों की

जब था मैं उसके साथ

जब थी उसकी कल-कल हँसी और अल्हड़पन

और मेरा इन चट्टानों की तरह अटल निर्णय "नहीं, पानी में नहीं उतरना"

फिर उसकी कोशिश,

मेरा गिरना...उसका हँसना

ओह ! ये यादें कितना सुकून देती हैं

साथ ही जगाती हैं कितना दर्द भी !

कहीं ये तो नहीं

ये चाहत नहीं एक दीवानगी है
कहीं ये अफ़साना तो नहीं !
पास है वो मेरे इतने
लगता है कहीं प्रतिच्छाया तो नहीं ?
प्रतीक्षित रहूँगी हमेशा उसके लिये
कहीं ये जन्मों का नाता तो नहीं...
बह जाती हूँ बहुत जल्द भावुकता में
कहीं ये सब एक मृगतृष्णा तो नहीं
मज़ा है गर्म रेत में भी जलने में
कहीं ये जलन सुकून-ए-दिल तो नहीं !

आराध्य

क्या लिखूँ तुम्हारे नाम से,

दुविधा में हूँ मैं !

है रात का समा और चाँद का साया

है पुस्तकों का बोझ और तुम्हारी गोद का सहारा

है थोड़ी सी पीड़ा मन में, छूट गए भाई की, इसलिए माफ़ करना मेरे यार

मेरी लेखनी भावनाओं का साथ नहीं दे रही,

मुझे विश्वास है समझ रहे होंगे तुम, मेरी स्थिति को

बस एक बात ज़रूर कहूँगी मैं,

मेरी दुनिया का बिखराव सिमट जाता है तुम्हारे पास आकर,

मैं बाँटना चाहती हूँ

हर ख़ुशी, हर ग़म साथ तुम्हारे

यूँ ही समेट लेना मेरे हर बिखरे पल को !

बना देता है ये गुण तुम्हें

एक प्यारा इंसान, मेरा देवता, आराध्य !

एकाकार

सुकून-ए-जज़्ब हो जाएँ
या तन्हाई में खो जाएँ
वो फ़ासले पर हों
या हम फ़ासले पर खड़े रह जाएँ
वो आवाज़ दें
या हम आवाज़ों में खो जाएँ
क्या कहूँ ऐ दोस्त तुम्हें,
कि वो मुस्कुराएँ
या हम उनकी मुस्कुराहट में खो जाएँ,
वो हमें प्यार से समझाएँ
या हम समझने को तैयार हो जाएँ
क्या फ़र्क़ पड़ता है...वो हममें हो या
हम उनमें खो जाएँ!

प्यार तुम्हारा

मैं अपना सब कुछ तुमसे जोड़कर नहीं,
तुममें जुड़कर रखना चाहती हूँ !
मेरी ज़िंदगी तो तुम हो
अस्तित्व अधूरा है तुम्हारे बिना मेरा,
ज़िंदगी व्यर्थ है तुम्हारे बिना
साथ तुम्हारा ज़िंदगी की नियामत है।
और प्यार तुम्हारा है ज़िंदगी की सार्थकता !

स्वप्न

मैंने स्वप्न देखना बंद करने चाहे
बहुतेरी कोशिशों के बाद !
मैंने सोचा, बुरा नहीं है स्वप्न देखना,
यदि मैं मान लूँ
कि स्वप्न होते ही टूटने के लिए हैं,
और मैं
उस टूटन को भी एक स्वप्न मान लूं...तो ?

स्वप्न टूट गया

बंद आँखों से
दिल की क़िताब पर,
अरमानों की क़लम से
जो लिख दी इबारत मैंने,
तो हमारी कहानी बन गई
और खींची चंद लकीरें
तो तुम्हारा वजूद उभर आया,
घबराकर जो खोली आँखें मैंने,
तो स्वप्न टूट गया !

सुंदर भवितव्य

कभी चाहा,
अबोध रूप मेरा
कभी गंभीर व्यक्तित्व,
मैं हूँ तुम्हारा कृतित्व
क्योंकि प्रिय हूँ इतनी,
काश, भूल जाएँ सब अंतर
और हर कोशिश बन जाए
हमारा सुन्दर भवितव्य!

यादें चुरा लाए हैं !

क्या बताएँ कि तेरे पास से क्या लाए हैं

गुज़रे लम्हात की तस्वीर उठा लाए हैं

महके-महके से ख़यालात उड़ा लाए हैं

दिल के नन्हे घरोंदे को सजाने के लिए

तेरे घर से वो तेरी याद चुरा लाए हैं!

ज़रा रुकिए

मचल-मचल के मैं कहती हूँ

कि ज़रा रुकिए

संभल-संभल के वो कहते हैं

जा रहा हूँ मैं...!

अभ्यर्थना

आए कल भगवान मेरे द्वार !
कहने लगे
माँग ले, जो जी चाहे
हर्षित, मुदित, चकित मैं
भूल गयी अभ्यर्थना भी,
सोच में डूब गयी
कि क्या माँगू
मिल गयी है ऐसी अनमोल कृति मुझे
तुच्छ है दुनिया कि हर चीज़ उसके सामने
दंग भगवन लौट गए मेरे द्वार से
लेकर नया ज्ञान
कि प्यार अंधा नहीं होता
बल्कि खोल देता है अंतः चक्षु भी !

प्रतिबद्धता

ज़िंदगी में जो मिली है अनमोल ख़ुशी

उसे सम्भालकर रखते-रखते

ईर्ष्यालु हो गयी हूँ मैं !

जो विशेष भाव चाहे थे

आँखों में अपने लिए,

भावों में तेरे,

उनको ढूँढते-ढूँढते, बावरी हो गयी हूँ,

ये इंतज़ार के पल मेरे धैर्य की परीक्षा हैं

इनको देते-देते मैं हारती गई हूँ

हर मोड़ पर नई आशाओं,

नयी उमंगों के दीप जलाने को

मैं हर वक़्त प्रतिबद्ध हो गयी हूँ !

विश्वास

हो भ्रमित मन क्यों प्रिये !
कहाँ खो गया अटल विश्वास?
हूँ तुम्हारी सुख, दुख गामिनी
मन में है चिर साथ की आस !

पहचान

पैरों के नीचे धरती बिछा ली
सिर पर गगन की चादर तान ली
तेरा मुँह क्या देखा, मेरे प्रिय !
हमने ख़ुदा की ज़ात पहचान ली !

आधार स्रोत

मुस्कुराना उसका
पैदा कर देता है चाहते मुझमें,
ग़मगीन होना उसका
हिला देता है मुझे
जीने लगी हूँ उसकी साँसों के साथ,
ख़ुशबू की तरह महकने लगी हूँ
शायद उसकी यादों में,
बहुत प्यार करता है वो
देती हैं उसकी निगाहें ये एहसास मुझे,
बहादुरी के कीर्तिमान का दावा करने वाली मैं
सिमट गयी हूँ उसकी बाँहों के बीच
अपनी कोमलता, दुर्बलताओं का अनुभव होता है मुझे
मैं ख़ुश हूँ बहुत
क्योंकि उसकी प्रेरणा का आधार स्रोत बनना है मुझे !

अक्षरों के अक्स

वो घड़ी पर टिकी निगाहें
वो दिल की बढ़ती धड़कनें
तुम्हारे क़दमों को महसूसना अपने कानों में
हर आवाज़ पर चौंक उठना मेरा,
लगता है कितना हास्यास्पद
पर साथ ही कितना मधुर !
अक्षरों में अक्स बनाती तुम्हारा
मैं उदास हो उठती हूँ न आने पर,
मुझे तुम्हारी मजबूरियाँ पता है
पर मैं भी क्या करूँ,
बार-बार ख़ुद को समझाना पड़ता है
कुछ काम होगा या आप पढ़ रहे होंगे,
पर उठती है एक अधिकार भावना
क्या ज़रूरी है हर काम मुझसे ज़्यादा !
बस जीना चाहती हूँ ख़ुशी के पलों को
जो मिलते हैं आपके आने से,
यूँ तो एहसास रहता है हर पल आपका
पर ज़रूरी हो जाता है
कभी-कभी ख़्वाबों से निकलना
और अपने अक्स को आईने में देखना !

सिखाया है उसने

यूँ बन जाते हैं सेतु

हमें मालूम न था !

झाँका था मैंने

रिश्तों की गहराइयों में

किनारों पे खड़े होकर,

उनमें उतरने, डूबने का एहसास नहीं था !

मुझे ये क़तई नहीं चाहिए

कि कोई सिर्फ़ मेरे लिए जिए,

कुछ अपनों से कटकर

मैं तो जीना चाहती हूँ

सिर्फ़ उस एक के साथ !

अब तक

रिश्तों की गरिमा का अंदाज़ा ही न था,

थी मैं आज़ाद पंछी की तरह

ज़िम्मेदारियों से जिसे सरोकार न था

सिखाया है उसने मुझे जीने का अंदाज़

दूसरों के लिए जीने का गुर मालूम ही न था !

हँसाओगे न मुझे

रूमानी ख़यालों की दुनिया में

चाहूँगी मैं, प्यार भरा सहारा तुम्हारा,

होने लगूँ जब हताश कभी गम-ए-ख़िज़ाँ में

हँसाओगे न मुझे तुम !

डरती हूँ इतनी सारी ख़ुशियाँ एक साथ देखकर,

ढूँढती हूँ तुमसे एक सुरक्षा भरा आश्वासन क्योंकि,

तुम मेरे वटवृक्ष हो,

और मैं लता, जो बग़ैर तुम्हारे सहारे,

ज़िन्दा नहीं रह सकती !

छुट्टी वाले दिन

ये समय जो फैला है दूरी बनकर

हमारे-आपके बीच,

कोई मुश्किल नहीं है

इसके साथ चलकर आप तक आना

मुश्किल है एक छोटी सी तो बस यही

कि ये समय ही फिर

दुश्मन बन जाता है, आने वाले समय का,

तो फिर समय को यूँ ही व्यतीत होने दें तब तक,

जब तक समय उपहार लेकर आए

हमारे लिए 'आपका'

लेकिन तब तक

समय बन जाता है परीक्षक

हमारे धैर्य का,

गुज़रता नहीं है,

हर वक़्त रुलाता है हमें,

आप ही कहिए न इससे

जल्दी से निकल जाए

...और किसी छुट्टी वाले दिन जब आप आएँ

तो ये एक दिन, पूरा सप्ताह बन जाए!

अकेले नहीं हैं आप

लगता है, जैसे हैं आप जो एक हिस्सा मेरा,

कभी-कभी विचारों का अतिसुंदर प्रस्तुतिकरण

विभ्रमित कर देता है,

लगता है कहीं ग़लती हो गई हमसे

पर पुनर्विचार देता है निष्कर्ष,

बेहतर है

रखूँ मैं एक खुला दिमाग, स्वस्थ मानसिकता

प्रतिज्ञा तो नहीं पर कोशिश करूँगी

इन सबको प्राप्त करने की

मुझे तो बस लगता है हर पल

एक ही एहसास

मुझे ज़रूरत है आपकी हर चीज़ में,

बस प्रिय! हारना मत कभी

अपने आप से,

अपने निर्णयों से

अगर है कोई छोटी-बड़ी सी परेशानी

तो निपटेंगे हम साथ-साथ

मैं हूँ हर पल,

आपके साथ

अकेले नहीं हैं आप!

मेरा प्यार

उसका न आना सपनों में मेरा

कोई ग़लतफ़हमी नहीं थी

उसका दूर जाना मुझसे

महज़ समयाभाव था!

कर्तव्य के रास्ते में बाधा नहीं थी मैं

उस पर डिग नहीं सकता मेरा विश्वास, आख़िरकार

मेरा प्यार कोई हँसी नहीं थी!

नाव काग़ज़ की

नाव काग़ज़ की थी

हौसले कमज़ोर थे

तूफ़ान की बात ही छोड़ो

मैं किनारे पर ही डूब गई

पर वो बहादुर रहे,

लड़े अपने आप से

मेरी तरह घबराए नहीं!

विदा नहीं देती हूँ

मिल गए हम अचानक
और दे दिए तुमने
न जाने नए भाव कितने
धुँधला दिया है तुमने
मेरे पूरे अतीत को
और दे दिया है एक जाल
भविष्य की मृगमरीचिका का,
देकर एक आमूल परिवर्तन
माँग कर विदा, अब तुम चल दिए,
पर विश्वास है मुझे
हम मिलेंगे पुनः किसी भी रूप में,
अत: मैं विदा नहीं देती हूँ
मैं अलविदा नहीं कहती हूँ!

तमन्ना

ये ख़ूबसूरत पल मेरी नियामत हैं,

बँटना जिनका सहन नहीं होता हमें,

कुछ पाने के लिए कुछ खोना पड़ता है

ये तो भूल जाती हूँ मैं

डर लगता है हमें !

समय को मुट्ठी में बाँधने का मन होता है !

तुम्हारी बाँहों में रहते

एक निश्चितता में जीने की

एक बेफ़िक्र नींद सोने की तमन्ना है !

एकाकी पल

सुन्दर भविष्य की आशा में
वर्तमान में किए समझौतों ने
बाँध दी है समय की सीमा
जो पल मेरे हैं, मेरे अपने
उन्हें फिसलते देखना पड़ता है,
जीना पड़ता है उन्हें एकाकी
आशा में, सपनों में !

अहसास

फूलों की ख़ुशबू को महसूस किया
भौंरों ने, तितलियों ने !
गुणगान किया कुछ दिन
और फिर, धीरे-धीरे क़रीब आने में
गुम हो गए शब्द
और...
प्रमुख हो गया अहसास !

उमंग

आशा हूँ मैं, हमारे सुनहरे भविष्य की!

अंकुर की याद पर खिल उठता हमारा मन

उमंग में उफनती भावनाएँ

अपने भविष्य को सौंपने की इच्छा

तुम्हारे चेहरे पर अंकित ख़ुशी

अपने बच्चे को देख पाने की उमंग,

बस फिर तो मुझे भी जुट जाना है!

प्रिय, जिनकी ख़ुशी पर क़ुर्बान जाऊँ

जिनकी उदारता का मैं फायदा उठाती हूँ!

नहीं! मैं उनके सपनों की आशा बनूँगी,

और यदि संभव हुआ तो

हमारे चमन से शांति कभी नहीं जाएगी!

कभी नहीं जाएगी!

प्रकृति का साथ

ओस गिरी मोतियों सी

फूलों के होठों पर

मानों ज़िंदगी सिमट आई हो

एक लम्हे के लिए

मेरे अपने होठों पर !

फिसल पड़े ओस के कण

आँखों से मेरी,

झेल न पाने के कारण इतनी ख़ुशी...इतना प्यार !

थरथराती सी काया को समेटकर

मुस्कुरा पड़ी मैं,

अपने प्रिय के आगमन पर !

...और समझ गयी

कि प्रकृति, हमारे साथ हँसती

और हमारे साथ रोती है !

पाया ये ज्ञान मैंने

तुमने कहा लड़ जाओ समुद्र से
तूफ़ान ही तो है !
उतरोगे तो तैरना आ ही जाएगा !
तुम्हारी हिम्मत से मैं कूदा
न तैरना मिला, न डूबना !
फिर डूबते-उतरते
तुम्हारी हिम्मत के बल पर
पाया ये ज्ञान मैंने !
डूबना है तो भी
तैरना है तो भी
हिम्मत ख़ुद की चाहिए
और प्रेरणा तुम्हारी !
...और मैं तैर गया तूफ़ान में भी !

नियामत

ज़िंदगी नियामत है
सच्चा प्यार है जन्नत,
तो क्यूँ सोच विचार में
ज़ाया करें हम वक़्त !

दुनिया ख़ूबसूरत है

ये मनोदशा एक तरफ तो रखो
और मुस्कराओ तो एक बार...खुलकर
तुम पाओगी कि दुनिया कितनी ख़ूबसूरत है !

सार्थक विषय

पूछा गया मुझसे आज

हो जाए यदि

तुम्हारी महबूबा की शादी अन्यत्र कहीं !

तो क्या होगी प्रतिक्रिया तुम्हारी ?

प्रश्न गले नहीं उतरा !

प्रतिरोध किया मैंने

फिर सवाल किया "भला कैसे हो जाए" ?

प्रश्नकर्ता भी कम व्यवहारिक न था

जल्दी हटने वाला भी नहीं !

बोला, अक्सर होता है

मान लो हो जाए - "भगवान न करे" !

हिला दिया उसकी इस आशंका ने !

फिर मजबूर किया

सोच के सागर में डुबकी लगाने को !

फिर सच्चाई ने दोस्ताना राय दी

"कहीं भी रहे, किसी के पास भी रहे"

तुमसे ज़्यादा सुखी रहने की संभावना रहेगी

हार गया मैं !

सोचा, क्या ये मतलब नहीं होता प्रेम का,

सच्चे प्रेम का ?

...कि अपने प्रिय को खुश देखा जाए !

फिर क्यों कर उसे साथ घसीटा जाए

एक अनिश्चित भविष्य की ओर ?
प्रश्नकर्ता तो चला गया
पर दे गया मुझे सोचने के लिए
एक विषय, सार्थक सा !

मुस्कानों का हिसाब

इतने व्यस्त क्षणों में भी
उसने भेजी मुझे एक मुस्कान
हाय ! ये मेरा दुर्भाग्य
कि मैं व्यस्त थी उस समय
उसके द्वारा न फेंकी गयी मुस्कानों के हिसाब में !

अमिट मित्र

भावनावों से ओत-प्रोत मन की बागडोर
है समझदार दिमाग के हाथों,
अमिट मित्र हो तुम हमारे
जिसका सृजन संभव है विधाता के हाथों !
हमेशा निर्द्वंद रहे ये मित्रता
जो संभव है सिर्फ़ हम लोगों के हाथों !

खिड़की का सूरज

थी मेरी खिड़की सड़क की ओर

देखती रहती थी मैं दुनिया की चाल,

कोशिश करती थी,

उनकी चाल से उनका विश्लेषण करने की !

और एक दिन

उसने पता लगाया उस लड़के की चाल का !

सारी दुनिया आँखों में समेटे वो रोज़ आता

पेड़ से टिककर मुझे देखता और चला जाता !

मैं भी करती बेक़रारी से उस पल का इंतज़ार

और ये देखना ही कुछ सेतु बनाने लगा हमारे बीच !

उसकी शर्म को देखकर

पहल की मैंने

डाला उसे एक छोटा सा लेटर

और रोज़ आदान-प्रदान होने लगा,

फिर एक दिन उसका लेटर पढ़

मैं आसमान में उड़ती हुई धरती पर आ गई

'मुझे एक बार बाहर मिलो...सिर्फ़ एक बार,

मैं तुम्हें देर तक देखना चाहता हूँ !'

पहली बार नज़र गई अपने पैरों पर

बचपन से बैसाखी से आगे बढ़ती,

मैं रो पड़ी...और खड़े होने की कोशिश में औंधे मुंह गिर पड़ी !

समझ आया कि मेरी सीमाएँ इस खिड़की तक हैं,

खिड़की से बाहर की दुनिया के लिए
प्यार के सम्मोहन के अलावा जीवन भर का सहारा चाहिए
...और उसने लड़के को लिख दिया
'यदि मुझे प्यार करते हो...तो यहाँ कभी मत आना'
...और उस खिड़की का सूरज डूब गया
अपनी ख़ामोशी और विवशता के साथ !

तुम्हें क्या चाहिए

ज़िंदगी की दौड़ में

खोने को बहुत कुछ

पाने को बहुत कुछ

बग़ैर चिंता की चाह भी

एक मुस्कान भी

एक प्यार भी

ज़िम्मेदारियों का बोझ भी

ख़ुद के ख़्वाब भी

चमकता सूरज, अँधेरी रात भी !

पहचानना ज़रूरी है

तुम्हें क्या चाहिए ?

लगातार तपती धूप

या तपती धूप में कहीं

वृक्षों का साया !

चाह

मैंने चाहा सब एक साथ,
सब मिल तो गया मुझे
पर तब तक
चाह ही चली गयी मुझसे !

कंफ्यूज़न

होठों पर मुस्कान
दिल में तकलीफ़
और
मन में कन्फ्यूज़न !
पता नहीं मेरा रिएक्शन ग़लत है
या
वही ग़लत है !

तितली

मुझको बनना था एक तितली
निकलना था खोल से,
पर क़ैद होकर रह गई मैं इसमें
लम्बे समय तक !
आनंद उठाना चाहा इस वातावरण का
तो सबने समझा
मैं मर गई !
लोगों ने हिलाया-डुलाया मुझे
थोड़ा डराया भी,
ज़बरदस्ती बाहर आना पड़ा मुझे, खोल से !
...तो लो...मैं सचमुच ही मर गई !

फ़िक्र-ए-ज़िंदगी

बर्फ सी जम गयी है दिलो-दिमाग़ पर !
पिघले तो, पता नहीं कैसा सैलाब हो
पता नहीं, कुछ सहेजने को बचे भी
या की ख़ुद की बर्बादी का मंज़र हो
कदम आगे बढाऊँ या पीछे हटाऊँ,
या कि जमकर खड़ी रह जाऊँ ?
इसी ऊहापोह में गुज़र रही है ज़िंदगी !
मकड़ी के जाले सी हो गई है ज़िंदगी
या कि इसी जाले में काम तमाम हो !

आत्मचिंतन

प्रिय, तुम्हारा हाथ पकड़कर चलते-चलते
हम भूल ही गए थे
अपने पैरों पर चलना !
तुम पूछते हो
"तुम वह करो, जो तुम्हें पसंद हो !
आपकी पसंद, मेरी पसंद"
ये गुनते गुनते,
मैं तो भूल ही गई
अपनी पसंद, नापसंद ?
सब चल गया अभी तक
क्यूंकि हम दौड़ रहे थे
ज़िंदगी की इस रेस में !
अपनी ज़रूरतों, शौक, कैपेबिलिटीज़ को सीमित कर,
अब हम दौड़ने की बजाय चलने लगे !
आसपास देखने की फुर्सत पा गए
और हमने देखा बहुत कुछ,
एक-दूसरे को कुछ ज़्यादा ही गौर से !
जो चीज़ें भ्रम के आवरणों में छुपी हुई थीं,
झीना पर्दा हटते ही भयावह सच्चाई सी सामने थीं !
तुमने फिर भी कोशिशें कीं,
हिंट्स दी मुझे,
कि मैं भी चल पड़ूं रास्ते पर,

साथ तुम्हारे, बराबरी में !

छोड़ दूं वह सब, जो इतने सालों तक करते-करते,

मेरे व्यक्तित्व का हिस्सा बन गया !

मेरा डेडीकेशन, मेरा कमिटमेंट,

जैसे मेरे दुर्गुण बन गए !

अब बहाने से ख़ुद में झाँकने का मौका है !

किसी से शिकायत का वक़्त नहीं ये,

ख़ुद से आँख मिलाने का समय है

मैंने ख़ुद को कूड़ा कर लिया

जकड़ लिया तुमको भी इस सबमें !

मैं खोल देना चाहती हूँ अपनी बंद मुट्ठियाँ,

तुम्हारे साथ इस आनंद को जी भर जीना चाहती हूँ !

पर मैं भूल गई हूँ तरीका, भूल गयी हूँ रास्ता !

सूरज की रोशनी से आँखें चुंधियां रही हैं,

घर में क़ैद होना तो मसले का हल नहीं !

रखने होंगे कदम बाहर,

अब वो फूलों पर पड़ें या कांटों पर !

मन में संतोष रखना

कि बिना किसी का हाथ पकड़े,

ये मेरे अपने क़दम हैं, और

ज़िम्मेदारी भी मेरी अपनी है !

मैं आज़ाद करना चाहती हूँ इन संकटों से,

तुमको

और ख़ुद को भी !

तुम कहते हो कि

मैं बहुत सोचती हूँ

पर मैं कब नहीं सोचती थी ?

पर अब सच में,

कम ही सोचना पड़ेगा !

मेरे इस आग्रह को इग्नोर कर दो कि,

मुझे भी साथ ले लो !

क्यूंकि

तुम रास्ते के अंतिम छोर पर हो

और

मैंने तो अभी, स्वयं के क़दमों पर खड़ा होना ही सीखा है !

चरणों की धूल

मेरे मन की कमज़ोरियां

बन गईं आपकी शूल

मैं रही हमेशा ही

आपके चरणों की धूल !

गर हो जाऊँ कितनी भी बड़ी

तब भी न दूँगी तूल

नादानियों को मेरी

आप जाइए भूल !

आलोक

मौजूद है मदद को हमेशा सबकी

सबसे पीछे छिपा 'आलोक'

कौन रोक सकता है उसका प्रकाश

जब वो है स्वयं ही 'आलोक' !

आदत

जो पैर लाए तुम्हें
बराबरी पर,
अब तुम उन्हें चलना सिखाओ !
पर बात कैसे बने ?
उन्हें तो आदत है
पूजे जाने की !

दौड़

लम्बी दौड़ ज़िंदगी की
चाहिए लक्ष्य, एकाग्रता !
न कोई आगे, न कोई पीछे
क्योंकि ये तो है
दौड़... ख़ुद से ख़ुद तक की !

अर्थवान शब्द

शब्द जब चढ़ने लगते हैं
पहाड़ पर,
सामना करते हैं
परिस्थितियों का
खुली हवाओं का
चढ़ती, उतरती धूप का !
तब शब्द बदरंग हो जाते हैं,
और फिर आते हैं
बादलों के संपर्क में,
ओस की नन्ही बूँदों के पास
और शब्द अर्थवान हो जाते हैं !

रंगमंच की सच्चाई

ज़िंदगी के रंगमंच के कुछ अभिनेता

सचमुच के रंगमंच पर इकट्ठे थे,

मौका मिला जब हमें भी

इस रंगमंच पर दो पल ठहरने का,

मन किया, हम भी कर लें एक सर्वेक्षण !

मालूम करें कि क्या है जो उन्हें

अभिनय करने को प्रेरित करता है ?

ज़िंदगी में क्या इतना अनुभव पा लिया इन्होंने ?

एक छोटे कद वाले, दुबले लड़के से पूछा हमने

रंगमंच कोई मजबूरी तो नहीं ?

एक पल सच्चाई कौंधी चहरे पर

फिर दूसरे ही पल

बदला चेहरे का भाव !

नहीं-नहीं ! शौक है मेरा

खाली वक़्त के सदुपयोग का !

एक महाशय दीन दुनिया से बेख़बर

सिगरेट के धुएँ में खोए,

उनको देखकर लगा

तमाम दुनिया का ग़म उठाए जा रहे हैं !

और छोटे-मोटे सभी से मिलते

पहुँचे इस निष्कर्ष पर हम

कि दुःख के कल्पनीय, अकल्पनीय सागर में

कविताओं की साझा डायरी !

जब तक न डूबोगे

अभिनय का मोती नहीं मिलेगा !

हमें अब दुःख को परिभाषित करना कठिन हो गया !

'दुःख नहीं सूझता कोई...तो दुःख पैदा करो'

बग़ैर दुःखमय हुए उत्पत्ति नही होती !

लगा निराशा के इन अंधेरों को छाँटने में

मैं कुछ मदद करूँ

बताऊँ कि ख़ुशी, हँसी, ठहाके भी ज़िंदगी को अभिनय कराते हैं !

रो तो सभी लेते हैं पर कहाँ संभव है

ख़ुशियाँ बिखेर पाना ?

सोचा इस संस्थान के आधार स्तंभ (डायरेक्टर) से मिलूँ !

एक चकाचौंध से भरा व्यक्तित्व,

स्वयं अभिनय की बारीकियों से परिचित !

पर पूर्वाग्रहों और पारम्परिकता ने सीमाओं में बाँध दिया था

उस अच्छे भले व्यक्तित्व को !

नारी को शोपीस बनाने की इच्छा,

अभी तक मन में उठने वाली इच्छाएँ

सुधारवादी सी, लगा बौनी हैं !

समझाया उसे जाए जो नासमझ है,

जो जान बूझकर आंखें बंद कर ले

उसे कौन, क्या समझाए?

फ़ासले

जब कभी बैठ के

अपने कमरे के अँधेरे कोनों में

मैंने झाँका अपने अंदर

अपने चारों ओर,

तो घिर गई मैं, हमेशा निराशा के अँधेरों में !

अपने स्वार्थी स्वभाव के चलते

अपने बनाए कटघरों में घिर जाती मैं,

जब कभी सहारे के लिए तकती

अपने चन्द साथियों की ओर

तब तक हो चुकी होती काफ़ी देर !

गर खड़े भी होते वो लोग

तो होते कई क़दमों के फ़ासले,

जहाँ से सिर्फ़ हो सकता

आवाज़ों का आदान प्रदान,

या कोई आता वहां से

तो साथ ले आता अपने

ढेर सारा अहसान,

...तो बढ़ जाते कदमों के बीच और फ़ासले !

अपने कटघरों की एकमात्र खिड़की से

जब कभी पाती ठंडी हवा का झौंका

तो कुछ समय के लिए

एक नवजागरण सा लगता,

पर यह भी एक छलावा मात्र रहता
कुछ पलों का,
ये हवा मेरे अन्दर का भेड़िया नहीं सह पाता है ज़्यादा समय
और भड़कने लगता है वह फिर से,
मुझे नए-नए कटघरों में क़ैद करने के लिए !

तुम मेरी कृति हो

हे प्रिय ! मैं कहता था

तुम मेरी कृति हो

पर अब सोचता हूँ,

ये कैसी कृति है मेरी !

समय के चुनिन्दा पलों से चुन-चुन के रंग लिए थे मैंने,

वो कैसा पल था ?

...कि रंगों का चुनाव ग़लत है मेरा

क्यों मेरा कृतित्व इतना निरर्थक है कि

कुछ क्षण दमका और फिर वही निशा छाई है !

जो हमेशा डराती है मेरे मन और प्राणों को,

जिससे भागकर मैंने तुमको गढ़ा था

वो क्या था जिसने तुम्हारी आँखों में रंग भरा था !

तुम्हारे स्पर्श को कोमलता दी थी

शायद वो आकर्षण था हमारे बीच का

जो समय के किसी पल में धुंधला गया है !

वो धैर्य था हमारा

जो हमारे हाथों से छूट गया है !

हे प्रिय ! मैं आज भी कहता हूँ फ़ख्र से

कि "तुम मेरी कृति हो" !

तुम मेरे उन चुने हुए रंगों को मत धुँधलाओ

तुम जो थीं, जो हो, वो नहीं,

मेरी सपनों की कृति कहलाओ,

ये अहसास देता है संबल मुझे
नहीं तो
समय तो यूँ भी कट जाता है
तुम मेरे समय को कुछ यादगार बनाओ,
मेरे रूम को मेरे सपनों के घर सा सजाओ !

सिर्फ़ तुम

ये तुम हो
सिर्फ़ तुम,
जो माहौल बिगाड़ रही हो
ख़ुद को ही नहीं
सब को ग़मगीन बना रही हो !

कर्तव्यों की सलीब

कर्तव्यों की सलीब काँधे पर
और डिग्रियों को मेरे गले में लटकाकर
उसने कहा चलो
तो मेरी एक आँख से खून टपका
और दूसरी से आँसू !

समझाइश

अब तुम बनोगी किसी घर की मर्यादा

किसी के सपनों की रानी

और किसी का आदर्श,

इन सबके लिए

क्या तुम अपने आपको तैयार नहीं करोगी ?

करोगी ना ?

तुम चाहती हो ना,

तो एक काम करते हैं

मन से निश्छल रहते हैं हम

जैसे थे !

बस अपने प्रिय के लिए जैसे जीते थे

वैसे ही रहेंगे

बस थोड़ा डिग्निटी का ख़याल करोगी ना ?

चिंतन

हमें एक जगह से उखाड़कर
रोपा गया दूसरी जगह
थी कमी हमीं में कुछ
जो कहीं न जम सके !

जुदाई

तुम्हारी रुख़सत ने
जुदाई शब्द को
नए अर्थ दे दिए,
नहीं तो...इसके पहले भी तो जाते थे लोग !

ममत्व

सुरमई रंगों की चुनरी ओढ़े

झाँकती दूधिया हँसी तेरी

टूटे हुए छोटे दाँतों से

खींचती मुझे, बाँधती मुझे

नन्ही-नन्ही बाहें, निगाहें तेरी !

भूल जाती हूँ अपने सपनों को, कामों को

लिपट जाता है किलक कर जब तू मुझसे,

लगता है जग बड़ा प्यारा, भरा पूरा !

पर परेशान करता है जब तू मुझे

चिढ़ती, कुढ़ती मैं तब भी

मुस्कुराती हूँ तेरे किसी कौतुक भरे काम से !

मोती सा सपना

हर पल निहारती तुम्हें मैं
तुम्हारे ध्यान को बातों से बहलाती
या सोते हुए तुम्हारे मुख को
विमुग्धा सी तकती सोचती रहती हूँ
एक छोटे से, नन्हे से लापरवाह बच्चे हो तुम
जिसका बहुत सारा ध्यान रखना है हमें,
एक ख़ूबसूरत मोती सा यह सपना
क़ैद है अभी मेरी सीप सी आँखों में !

विडंबना

जब समय था
तब समय की कीमत नहीं थी
अब जब समय नहीं
तो हम
समय गिनने लगे !

पथराव

कल राह में हुई दुर्घटना ने प्रेरित किया
सोचा, मैं पत्थरों को किनारे पर इकट्ठा कर दूँ
पर मुझे क्या पता था कि
ये आज पथराव के काम आएँगे !

जो है...सो है

मैंने चाहा था एक सहारा उम्र भर के लिए

छोड़ा था मोह अपनों का

किसी और का 'अपना' बनने के लिए !

फूँक-फूँक कर क़दम रखते भी

आ गए इस मोड़ पर,

अपना बनाकर किसी ने

सँवारना शुरू किया था जब

तब न वो था

न मैं थी

और अब इस मोड़ पर

दोनों डटे हैं आमने-सामने

सिर झुका दूँ यदि मैं तो क्या होगा ?

कभी कहता है नारी सुलभ मन

'सहने में नारी की जीत है'

कभी कहता शिक्षित उत्तेजित दिमाग

"उठो, अन्याय सहना कायरता है"

अजीब से पसोपेश ने छीन लिया है मेरा चैन !

इससे तो तब अच्छी थी

जब न कोई अपना था

न मैं किसी की थी,

पर ये तो कोई समाधान नहीं !

क्यों न एक चुनौती मानकर जीवन जियो,

चलो ऐसे ही कोशिश करते हैं,

तुम इसलिए परेशान हो

कि कैसे करोगी काम इतने तनाव में

देखो, सोच लो पहले

कि जो है...सो है

और फिर बटोर लो

छोटे-छोटे खुशियों के क्षण !

हँसो इसलिए कि दुनिया तुम्हारे आँसू ना देख पाए !

जब तुम्हारे साथ हो अँधेरी रातों का साथ, सामना हो अपने से

तब बहाना आँसू !

उजाला तो सिर्फ़ रफ़्तार वालों का है

तो शुरू करो आज से ज़िंदगी की दौड़ !

पीड़ा

मुझे लगा
मेरी हँसी ने छिपा लिया है
मेरी पीड़ा को,
क्या पता था कि
हँसी में भी रुदन होता है !

क़दम

डरे-डरे पर खुले दिल से
मैंने क़दम बढ़ाए थे
नई सुबह को...
क्यूँ भूल गई मैं ?

ज़रूरी शब्द

लौट आओ मेरे मन
अपने आप बनाए कटघरे से !
मत लो गुस्से और अविवेक में
ढीठ से निर्णय !
जुट जाओ तन मन से
अपने पुरावलोकन में
ढूँढो अपने कमज़ोर से पहलुओं को
और जगाओ आत्मसम्मान को,
लगते हैं भारी से ये शब्द
पर लगता है
ज़रूरी हैं मेरे लिए !

पसंद

हमदर्दी नहीं चाही ज़माने से
क्यूंकि हमें सहानुभूति का
मुखौटा पसंद नहीं
आत्मविश्लेषण की स्थिति में
हस्तक्षेप पसंद नहीं !

फ़ायदा

वक़्त गर्दिशें लाता है
उसे ठुकराने से क्या फ़ायदा
टूटना ही अगर मंज़िल है
तो राहें बदलने से क्या फ़ायदा !

ज़िंदगी

कुछ लोग कहते हैं
ज़िंदगी बहारों का दूसरा नाम है
किसी को ख़िज़ां की मूर्ति लगती है ज़िंदगी !
ज़िंदगी को परिभाषित करना बड़ा कठिन है
लेकिन मैं समझती हूँ
जीवन को परिभाषित न करना श्रेयस्कर है
क्यूंकि उसकी प्रत्येक व्याख्या एक सम्पूर्ण जीवन है !

पसंद

गुलशन में नज़ारे बहुत थे
मगर हमें ख़िज़ाँ के फूल पसंद आए
हँसने वाले बहुत थे महफ़िल में
मगर हमें रोकर भी
हँसाने वाले पसंद आए !

कल निश्चित आएगा

"क्या कर लूँ मैं"

ये प्रश्न जितना छोटा

उतना ही तीखा

अंतर को भेदता...घाव पैदा करता

टीसते हुए घाव...

लगता है कल सुनहरा था,

कल सुनहरा होगा

लेकिन आज को विस्मृत करती जा रही हूँ!

इंतज़ार है कल के सुनहरे भविष्य का

जो एकाएक रौशनी भर दे,

माना ये मृगतृष्णा है

पर एक चक्रव्यूह में फँसी हूँ मैं,

लगता है किसी खोल से बाहर निकलकर आँख खोलूंगी,

तो सब अपने अनुसार मिलेगा!

ये अपने अनुसार क्या है ?

भ्रमित मन छोटे-छोटे सुखों को भी भूल जाता है

किस बात का इंतज़ार है...?

सब कुछ तो हो रहा है

मैं व्यवस्थापक हूँ

पर निपुण व्यस्थापक तो नहीं,

सब ठीक हो जाएगा

लेकिन क्या गड़बड़ है,

ये समझ नहीं पाती

बच्चे ने मुझे नहीं बाँधा,

मैं ही किसी चीज़ में फँसी हूँ,

तकती हूँ तुम्हारी तरफ़ सहारे को

और मैं आश्वस्त हूँ

कल ही आएगा वो कल...निश्चित ही!

मेरा फ़र्ज़

खुलवा तो लिए हैं बंद दरवाज़े मैंने
अब कोई जल्दबाज़ी नहीं,
बहना नहीं भावुकता में हमें
कहीं ये पलायन तो नहीं
बनते हैं कुछ फ़र्ज़ उनके प्रति
जिन्होंने गलाया ख़ुद को हमारे लिए
नहीं माँगेंगे बढ़कर वो कुछ
...कहीं ये उनकी महानता तो नहीं !
पर निभाना है अपना-अपना कर्तव्य
यही ज़िंदगी का सही रास्ता तो नहीं,
करती हूँ मैं,
सूरज को दिया दिखाने का काम
कहीं ये अपनेपन का एहसास तो नहीं !

मेरे स्वप्न

मैंने स्वप्न देखना बंद करने चाहे

बहुतेरी कोशिशों के बाद मैंने सोचा

कोई बुराई नहीं स्वप्न देखने में

यदि मैं ये मान लूँ कि

स्वप्न होते ही टूटने के लिये हैं

और मैं

उस टूटन को सिर्फ़ अँधेरी रातों में

एक और स्वप्न मानकर भुला दूँ तो ?

दुनिया को इसका आभास भी न हो

और अपने ऊपर एक खोखली हँसी का ही सही,

आवरण तो रहेगा...नए-नए स्वप्न देख सकने के लिए !

मेरा भविष्य और तुम्हारी रहस्यमयता!

मैं आ गई हूँ पास तुम्हारे

बग़ैर किसी शंका के

लेकर एक विश्वास का दीपक!

रहस्यमयता तुम्हारे स्वभाव की

छल लेती थी हर बार मुझे

कभी लगता है तुम मेरे पास हो

मेरी छाया की तरह

और कभी लगता है

तुम चाँद की तरह हो सुदूर

जिसे केवल मैं

पानी से भरी थाली में देख सकती हूँ

बोलो ना...

तुम क्या हो...?

हर बार नए सिरे से ख़ुद को तैयार करती मैं, उलझ जाती हूँ नए रहस्यों में

कभी लगता है तुम मेरे लिये मुस्कराए थे,

फिर लगता है,

कहीं वह वक्र मुस्कान मेरी मूर्खता के लिए तो नहीं

कृपया सुलझाओ इन रहस्यों को

मेरी मंदबुद्धि सह न सकेगी इतने आघात

मत दिखाओ मुझे इतने सपने

पहले मुझे भविष्य बता दो मेरा!

नहीं सह सकती में बंद दरवाज़े से लौटना

न ही सपनों के मलबे को, बार-बार

क्यूंकि दिल का एक-एक कोना भर जाता है सड़न से,

मुझे धरती का एक कोना तो पकड़ लेने दो क्योंकि नहीं सह सकती मैं

हर बार गिरना औंधे मुँह !

पलायन

पहचान कर के भी नकारना
ये आदत पुरानी रही है तुम्हारी !
वाक़िफ़ हूँ मैं इससे मुद्दत से प्रिय,
अफ़सोस...सोचा न था मैंने कभी,
न पहचान सकोगे तुम मुझे
आख़िर ख़ुद को नकारने की आदत
कब से है तुम्हारी
निर्माण, विघटन, हर समय मैं,
साथ थी तुम्हारे
मेरा अस्तित्व क्या बन गया था
एक प्रतिच्छाया तुम्हारी
पलायन ख़ुद से ही हो तो क्या बिसात मेरी
क्योंकि आधारहीन हूँ मैं
बग़ैर नींव के तुम्हारी !

मेरा व्यक्तित्व

मुखौटे कई चाहे थे मैंने

अपने व्यक्तित्व के लिये

क्योंकि घुलने-मिलने की प्रवृत्ति थी मेरी,

एक मिश्रण बन गया मेरा व्यक्तित्व

पहचान खो बैठा अपनी मूलता की

भूल गई थी मैं यह भी

कि कुम्हार भी मिट्टी सूख जाने पर हताश हो जाता है

अब गीली मिट्टी तो रह न सकी

हाँ, सुलगती लकड़ी ज़रूर बन गयी हूँ धुआँ-धुआँ जलने के लिए !

एक हिलती नींव

मैं जा रही थी आज एक संस्था में

भरती थी जो समाज-सेवा का दम,

ऊँचे आदर्श रुपी कंगूरों को देखकर

नींव के पुख़्तापन पर रक्स आ गया,

सोचे बग़ैर कुछ,

निश्चय किया शामिल होने का

और, आज प्रथम दिन मैं पहुँची वहाँ !

प्रोग्राम था कुछ अनाथ बच्चों को कपड़े, खाना वितरित करने का,

पहले खिंचवाया गया फोटो

गरीब बच्चों के साथ,

और फिर बाँट लिया गया आधा पैसा आपस में !

एक दूसरे के साड़ी-गहनों पर बतियाते हुए,

फिर ईर्ष्या मिश्रित आलोचनाओं की चासनी में पगते हुए

लंच टाइम हो गया,

सभ्य समाज की नारियों का सुपरिष्कृत स्वभाव

बदल गया लगभग एक रणनीतिपूर्ण कूटनीति में,

सुरक्षित प्लेट एवं स्थान जुटाने में

और हैं-हैं करके खींसे निपोरने में,

लंच के बाद थोड़ा विश्राम, तफ़रीह के बाद निर्णय लिया गया

कि बाक़ी पैसा अपने नौकरों के बच्चों में बाँट दें !

अपनी सुविधा एवं आरामतलबी के लिए

कई आहों का खून किया गया

फिर शाम की चाय के बाद नया कार्यक्रम चुना गया

"ग़रीब महिलाओं का आर्थिक विकास"

पर ये कहा जाए तो बुरा नहीं होगा,

"इन समाज सुधारकों का अनुचित विकास" या

"ग़रीब महिलाओं का भावनात्मक शोषण"

...ख़ैर एक सबक लेकर लौट रही हूँ

कुछ इमारतों की नींव होती है

कुछ एक आहें, मजबूरियाँ,

कंगूरे ही नहीं होते हमेशा

किसी नींव को परखने का आधार !

सपने और यथार्थ

जा रही थी ख्यालों में गुम मैं
कि अचानक हो गयी जड़वत
देखकर, उसे अपने सामने
पाकर अपने आत्मीय को इतने नज़दीक
भूल गयी मैं औपचारिकताएँ भी
कितने गिले-शिकवे किए थे
उनींदी रातों में उसके अक्स के साथ,
भूल गयी मैं सारा मान-मनौव्वल
और खो गयी सपनों की मीठी नींद में,
फिर से ठोकर खाने के लिए !

मेरी कहानी

परिवर्तन चाहती थी मैं अपने अंदर

अपनी मानसिकता में,

बुराइयों को ज़रूरत से ज़्यादा इंगित किया था समाज ने,

बदलाव की प्रक्रिया में कुछ अच्छाई ढूँढ रही थी,

जिसको बनाकर आधार

मैं बदल सकूँ अपने आपको,

महसूस हुआ...बुराइयों, पूर्वाग्रहों का ढेर है अंतःस्थल मेरा !

क्षोभ, अपमान की द्विगुणित हुई माला का गुस्सा

उतरा अपने ही शरीर पर

विचार परिवर्तन की दुःखमय

असफलता के बाद

मैं आजकल जुटी हूँ,

शारीरिक आधुनिकता के भुलावे में,

अपनी शख़्सियत को एक कठघरे में बंद करने में !

आधुनिकता का मूल्यांकन

ज़िंदगी को मैंने सिर्फ़ भोगना चाहा

मैं आधुनिक नारी हूँ ना !

क्लब, किटी पार्टीज़ में व्यस्ततम

मेरी माँ का स्नेहिल स्पर्श

सुबह-शाम बिस्तर में ही ग्रहण करती मैं, ढाल नहीं पायी थी

स्वयं को उस वातावरण में,

कारोबार को दिन दूना, रात चौगुना करने वाले डैडी

भूल गए देना एक स्वस्थ, उदार वात्सल्यपूर्ण वातावरण,

भूल गए कि कोंपलों का पुनःरोपण करना चाहिए,

कोंपले आने के बाद उन्हें सहेजना चाहिए,

क्योंकि प्यार और प्रोत्साहन का

भोजन, पानी, धूप, हवा सा महत्व है !

बदलना पड़ा मुझे

इस वातावरण के अनुकूल,

करके अपने व्यक्तित्व व क्षमताओं का खंडन

मेरा दिल टूट गया,

और उन किरचों के साथ, उनकी चुभन महसूसती,

मैं सोचती रहती हूँ

आधुनिकता शब्द के स्वस्थ मूल्यांकन के लिए !

दिवास्वप्न

तारे गिन-गिन सोने में प्रयासरत

दूर, सुदूर देखा मैंने

एक तारा,

और मैं डूब गई नींद में,

कल्पनाओं के हिंडोलों में झूल रही थी,

सपनों की ठंडी-ठंडी हवा मेरे मन को

चरम पर ले जा रही थी !

और फिर आया यथार्थ के तूफान का झोंका

ला पटका इसने मुझे कल्पना से

वास्तविकता की धरती पर,

और मैंने मजबूरन

अपनी खुमारी में डूबी आँखें खोली

अपनी आरजूएँ, जिन्हें बरसाती नदी के उद्वेगों की तरह

मैंने चढ़ने दिया था,

उन्हीं को खुली पलकों से

काँच की तरह चूर-चूर होते देखा,

फिर मैंने, दिवास्वप्न देखना बंद कर दिए

पुनः नींद के लिए,

और असल नींद के लिए

गिनना शुरू कर दिए...तारे !

प्यार और ज़िंदगी

बेदखल करना चाहा उसने मुझे

अपनी ज़िंदगी से,

देकर कुछ बातों का वास्ता

जो थीं मेरे लिए सिर्फ़ कुछ नादानियाँ

ज़िंदगी के सुनहरे पृष्ठों की ओर झाँका था अब तक,

गुमाँ भी न था मुझे, इन अँधेरी गलियों का

हाँ, मैंने सोचा भी न था अब तक

कैसे चलता है घर आज के ज़माने में

पाँच सौ रुपये की क्लर्की से,

बस की अंतहीन लाइन और सब्ज़ी मंडी के धक्कों के बीच

बँटा आदमी

कैसे दे सकता है प्यार

और

मेरे सिर से परले दर्जे से भागा प्यार का भूत क्योंकि

मैं आदर्शवादिता बखान सकती हूँ पर आदर्शों की कँटीली राहों में

ख़ुद मसीहा बनकर चल नहीं सकती

शायद कहीं कमज़ोर हूँ, पर

मुझे वो सब कुछ चाहिए

जो मैं पा सकती हूँ बग़ैर ज़िल्लत के,

सिर्फ़ प्यार ही काफ़ी नहीं है

...ज़िंदगी के समीकरण के लिए !

तलाश अभी जारी है

मैंने सोचा था मैं एक दोस्त बनाऊँगी -

एक ऐसा दोस्त

जो बेमिसाल हो !

जिसकी मित्रता में स्त्री-पुरुष का भेद न हो, कोई कुंठा, कोई दुराव न हो,

बनाए मैंने कई मित्र

पर हाय, चयन ग़लत था !

मैंने महसूस किया हर बार

पुरुष मित्र पतन का बन सकते थे कारण,

नारी मित्र भी अधिक पृथक न थीं,

हर बार हताश हुई मैं !

सोचा, मित्र नहीं बनाऊँगी,

पर अकेलेपन ने पुनः मुझे खड़ा कर दिया मित्रों की तलाश में

फिर उसी कगार पर,

और जनाब, तलाश अभी जारी है !

सीखें

सपनों की सुनहरी दुनिया से

सप्रयास वह लाया

मुझे धरती पर,

छल कपट से भरी इस दुनिया से अलग,

सावधानी से जीना सिखाया उसने मुझे,

कृतज्ञता की आशा भी न थी उसे

फिर भी दिया मैंने उसे

अविश्वास और कृतघ्नता का बाण,

क्योंकि, मैं चूर थी अपने मद में,

और आ पड़ी मैं पुनः

आकाश से धरती पर

क्योंकि, वह भूल गया था सिखलाना कि

अत्यधिक ऊँचाई का अगला चरण पतनोन्मुख होता है !

आँसू

आँखों के आँसुओं को मैंने
संचित रखा था, कभी-कभी के लिए,
हँसने खिलखिलाने की अति में
मैं भूल गयी रोना भी
ज़िंदगी हो गयी निष्ठुर,
एक दिन छीन ले गई मौत,
मेरे एकमात्र भ्रात को,
और मैं डूब गयी आँसुओं की गोद में
लेकिन ये क्या ?
अब मैं भूल गयी मुस्कुराना भी !

अतीत

ज़िंदगी बिखर जाती है
जब कुछ नाम दे के, हम सोचते हैं
अपने विगत को,
हम चिपके रहना चाहते हैं उससे
बंदरिया के मरे बच्चे की तरह,
नहीं है यह एक व्यवहारिक दृष्टिकोण
फिर भी मैं पसंद करती हूँ इसे ही
क्योंकि ख़ुद को धोखा देकर जीना
हमारे लिए जितना कठिन है
उतना ज़िंदगी में तन्हा रहना नहीं,
रहते हैं तब कुछ घटनाओं के वृत्तचित,
जो काफ़ी होते हैं
एक व्यक्तित्व को असामान्य बनाने के लिए,
ये घुटन ला देती है मौत भी जल्दी
हम ईमानदारी से मर रहे हैं !
नहीं किया है हमने किसी तीसरे की भावनाओं से खिलवाड़
नहीं किया है हमने एक और मज़ाक़ प्यार के नाम पर !
हमने प्यार में संपूर्णता नहीं पाई
लेकिन पूरा किया है इसके मायने को,
हम महफ़िलों में जलने वाली शमा नहीं
हमने अँधेरे में जुगनू की तरह दिल जलाया है
दिया है प्यार को सार्थक रूप

जो छुपा है दाग़ों में राख में डूबे,
अंगारों से दहकते दिल के दाग़ों में !

खालीपन

पेन पेपर पर चलाना
कृतियाँ उत्पन्न करे या न करे
पर एक संतोष देता है
कि हम भी चित्रकार थे,
जिसके पास भयावहता को भरने के लिए रंग नहीं,
कुरूपता के लिए दृष्टि नहीं
कल्पनाशीलता के लिए दिमाग़ नहीं
कुल मिलाकर कुछ नहीं !

सुख के दिन

गर जो राह बनाई हमने

ख़ुद के ख़ून पसीने से

सुकून और शांति मिलेगी,

मंज़िल के क़रीब आने से

और जो खोया धैर्य

मुश्किलों के घिर आने से

तो महसूस भी न कर पाएँगे सुख के दिन !

ज़िंदगी एक तूफ़ान

ज़िंदगी एक घटा है

तो हम सूरज हैं

कब तक ठहरेंगी मुसीबतें,

उसके तेज़ के आगे

ज़िंदगी एक बहता दरिया है

तो हम उसकी तरंगें,

जो बदल सकती हैं ख़ुद-ब-ख़ुद उसका प्रवाह !

ज़िंदगी एक तूफ़ान है, तो हम हैं

मौज़ उसकी,

अब ये ज़िंदगी कोई भी रूप ले ले !

एक नाटक
"अकेली"

देखने बैठा उसे पूरा परिवार

किशोर उम्र के लड़के-लड़कियां

और मम्मी पापा भी !

नाटक का सार था

कि प्रौढ़ावस्था में पापा के गुज़रने पर

बच्चों का अपने-अपने घोंसलों में दुबक जाना

और माँ का अकेला रह जाना,

सिरहन सी होने लगी

प्रौढ़ावस्था की ओर क़दम बढ़ाती माँ को,

कहीं मेरे साथ ऐसा हो तो...?

और फिर होने लगी विवेचना नाटक पर

"ऐसा ही होता है सब परिवारों में" माँ का दावा था

और बच्चों ने कहा -"भविष्य किसने देखा है "

पर वहाँ बैठे-बैठे

माँ ने भविष्य का एक रूप देख लिया था,

कि अपेक्षा दुखों की जननी है !

आह

ओस की बूँद का कोई मूल्य नहीं
यदि उसके उद्गम का महत्व नहीं
आँखों से निकले तो आँसू बने
और दिल से निकले तो आह बने !

दरमियाँ

कल निकलता है
कल की प्रतीक्षा में
और कल आता है
कल निकलने के बाद
इस दरमियाँ भूल जाती हूँ आज को !

सहारा

नियमों के दायरे में रहने वाली,
निराशाओं की गर्त्त में मत जाओ
ध्यान करो उस प्यारे से मुखड़े का
जिसको ध्यान है सहारा देना
हर लड़खड़ाते क़दम पर !
आज भी दीप्त हो उठता है
प्रसन्नता से मुखमंडल उसका,
हर उपलब्धि पर हमारी !

अंकुर

मुट्ठी में बंद थे कुछ बीज सपनों के,

तुम भी हँस दी प्रिय

मेरे पसीने की बूँदों पर,

मैं परेशान था ऊबड़-खाबड़ ज़मीन को लेकर,

तुम झुक गयी पत्थर बीनने के लिए !

जो हिम्मत मिली हमें एक दूजे से

वो फैल गयी अंकुरों के रूप में

मेरी वीरान ज़मीन पर !

प्रिय, तुम आओ

बाँट लो मेरी हंसी, ख़ुशी, परेशानी,

और मदद करो...अपने सपनों को साकार करने में !

चमन का माली

द्वार खटखटाया किसी शोख़ कली ने, समझकर उसे भ्रम

बदल ली उसने करवट,

नहीं देखे जाते थे

शोख़ी पर मंडराते भँवरे उससे,

थी कोई अपनेपन की डोर या दुराग्रह था कोई

कली को अपनाने का !

उसने कोशिश की

माली चमन का बनने की,

देखभाल करने की,

और झुक गई कली क़दमों में उसके,

जानती थी वह,

ये है रास्ता...अपने देवता के मस्तक तक पहुँचने का !

शर्म

शर्म आती है मुझे
तो बेशर्म बन जाते हैं वो,
बेशर्म बन जाते हैं हम,
तो वो शर्माते हैं रोज़ !

यादें, सुकून और दर्द

देख रहा था शाम को जाते हुए
विमुग्ध था मैं
सूर्य की डूबती आभा में
जाते हुए राही के अंतिम पदचिन्हों को
देख रहा था मैं, लाल- लाल किरणों में !

चाँद मेरा मित्र

यूँ तो दीदार करना चाँद का
कोई नयी बात नहीं,
पर मेरे लिए था वह
मेरी कविताओं का जीता जागता दर्पण !
बाँट लेता था कभी मेरा दुख
और फटकर हो जाता था आधा,
आधा मेरे पास,
आधा मेरे दुखों की खोज में,
कभी चहकता था मेरी ख़ुशियाँ में
होकर हर्षित, बिखेर देता अपनी प्यारी मुस्कान,
नहीं छीने उसने मुझसे मेरे अनुभव,
मेरी भावनाएँ,
बल्कि बाँट लिए सुख, दुःख
एक मित्र की तरह !

बदलना प्रकृति का

जब आती है आँधी
घेर लेती है सारे वातावरण को,
दमघोंटू बनाती है माहौल
और ऐसे में आती है बारिश
देती है शीतलता तन-मन को
क्यों न कोशिश करें ऐसी
कि आँधी न बने तनाव पूर्ण
और ज़रूरत ही न रहे एक अनवरत बारिश की,
बदलना अपनी-अपनी प्रकृति का थोड़ा सा
दे जाएगा हमें ज़िंदगी जीने का मज़ा !

ख़ूबसूरत ज़िंदगी

हर एक रिश्ते की गरिमा

और यथासंभव सामंजस्य

उम्र का ये दौड़ता सफ़र

और बीच में आए ख़ूबसूरत से

कभी नाज़ुक तो कभी दुःखद पड़ाव,

एक जटिलता सा देते हैं समीकरण !

लगता है सब उलझा-उलझा भी है

तो सुलझा-सुलझा भी,

इतनी छोटी सी ज़िंदगी और ये जटिल परिभाषाएँ...

खो सी जाती हैं इनमें ज़िंदगी

पर ख़ूबसूरत लम्हों को सहेजना ही तो सार्थक बनाता है

इस ज़िंदगी को और ख़ूबसूरत !

उपलब्धि

मन करता है लौट चलें बीते दिनों में
उन मासूम हरकतों और भोली बातों में
सुधारें अपनी हर एक ग़लती को
पर कहाँ संभव है ये कल्पना !
कभी-कभी इन बीते क्षणों को
लोगों को, समय दें सकें
ये क्या कम उपलब्धि है !

सशक्त नारी

तक रही दूर तक मैं

चाह रही थी एकाकार प्रकृति से

ढूँढ रही थी भाव प्रकृति में सौंदर्य के

भंग हुई एकाग्रता मेरी

देखकर एक भिखारी बच्ची को,

वितृष्णा जागी मन में

आते पास उसे,

बचा लिया मैंने दामन बड़ी सफ़ाई से

समझ नहीं पा रही थी उसकी भंगिमाओं को

बीबीजी मुझे कुछ नहीं चाहिए

बस एक मिनट रुको,

चिल्लायी वह,

पास आकर रो पड़ी और बोली

मुझे कोई काम दे दो बीबीजी

मेरा बाप मुझे बेच देगा

मुझे बचा लो !

समाचार पत्रों से पढ़ने वाली आये दिन की ख़बरों ने

चलचिल की तरह आना शुरू किया

फ़लाँ-फ़लाँ ने अमुक ढंग से धोखा देकर फ़लाँ-फ़लाँ को लूट लिया,

...और झिड़क दिया मैंने उसे,

पर उसकी आँखें थीं

मासूमियत, सच्चाई का दर्पण,

जो झुठला नहीं सकी मुझे

पर क्या करूँ मैं भी

सीमित हूँ अपने दायरे में !

मैं भी तो एक सभ्य सुसंस्कृत ढंग से ख़रीदी गयी 'चीज़' हूँ

मेरी भी तो कोई एहमियत नहीं !

...क्योंकि मैं हूँ भारतीय नारी,

पति की इच्छा का पालन करना मेरा धर्म है

क्या नहीं बेचीं जाती मैं हर दिन

कौन बचा सकता है मुझे ?

और मैं कैसे बचा सकती हूँ तुम्हें ?

बुदबुदा उठी मैं उसकी

जाती हुई परछाई को देखकर,

और रो पड़ी अपनी नियति पर

अपने निर्णय स्वयं न ले सकने की मजबूरी पर !

फिर जाग गई मेरे अंदर की सशक्त महिला

...मैं ही तो बचा सकती हूँ ख़ुद को,

और तुम्हे भी नन्हीं परी

फिर थाम ली थी मैंने अंगुली उस बच्ची की !

सही निर्णय

रुके हुए फ़ैसले की प्रतिक्रिया में

कर देते हैं हम फ़ैसले बहुधा,

छोड़कर कई छोटी-छोटी बातों की महत्ता को भूल जाते हैं हम

कि कई छोटी बातें एक पूरा इतिहास बदल सकती हैं !

निर्णय लेते समय किसी की ज़िंदगी का

भूल जाते हैं कि अति और जल्दबाज़ी

हर चीज़ की बुरी होती है,

हावी हो जाती है हमारी मनःस्थिति

कई बार हमारे निर्णयों पर,

भूल जाते हैं कई बार हम निर्णय को

और बह जाते हैं भावुकता में

अपने-अपने जातीय मूल्यों की प्रतिष्ठा में, व्यर्थ की अहम् तुष्टि में,

ज़रूरी नहीं

हमेशा विरोध के लिए विरोध किए जाने की,

ज़रूरत होती है एक खिलाड़ी भावना की,

होते हुए भी पक्ष, विपक्ष में

नहीं हो पाता हमेशा ही सही निर्णय लिया जाना,

विरासत के संस्कार निर्धारित करते हैं व्यवहार को

पर हम बचाव कर सकते हैं अपने आप का नीच वातावरण से,

यदि प्रबल हो इच्छाशक्ति हमारे पास

नहीं ताकना चाहिए बहुमत का मुख हमेशा

स्वमूल्यांकन व स्वमूल्य प्रतिष्ठा के लिए प्रस्तुत रहना चाहिए

करना चाहिए सहानुभूति से हर समस्या पर विचार

और नहीं छोड़ना चाहिए धैर्य का दामन,

निर्धारित करना चाहिए उन परिस्थितियों में ख़ुद को रखकर

मैं समझती हूँ एक सही निर्णय लेने का मतलब है

कँटीले पथ पर चलकर सही मंज़िल को पा लेना !

बूँदें बिहँस पड़ीं

डरा सहमा ये मेरा दिल

देख रहा था वर्षा की नन्ही-नन्ही बूँदें,

गिर रही थीं मुझसे प्रतिद्वंद्विता करती

मानो डरा देना चाहती हों

अनवरत बरस कर,

सारी शाम कल्पना में तैरती रहीं,

फिर बिहँस पड़ीं मेरे स्वगत संवादों से !

सिमट आईं मेरी खिड़की पर

प्यार से थपथपाया मुझे

और वायदा किया लौट जाने का,

मिल गया शायद उन्हें सही समाधान

या परितृप्त हो गए थे मेघ बरसने के बाद !

जो भी हो...

पर मुझे घेर लिया कुछ और ही अफ़सानों ने

आपकी यादों की बदली ने,

तब पिघलना शुरू किया

मेरी आँखों से,

और ये बिना गर्जना की बरसात जारी रहती है

मेरे अंदर हर पल, हर दम

एक एहसास के साथ, एक जज़्बात के साथ !

मेरा विश्वास

पहुँच गया मेरा उत्साह चरम सीमा पर

आ गया एक अजीब सा भाव

कुछ कर दिखाने का, थोड़े से गर्व का,

निकालकर तस्वीरें, पढ़ने जब बैठे

तो अनुभूतियाँ टेबिल पर साथ आ गईं!

सोचा, तुम्हारी क्या प्रतिक्रिया होगी मेरे इस भाव को लेकर,

पर तुमसे उम्मीदें व्यर्थ हैं...

इसके उलट ये भी सच है कि

तुम्हारी एक प्रतिक्रिया ही मुझे प्रोत्साहित कर पाएगी !

एक पल को लगा मेरा दृढ़विश्वास डगमगा रहा है,

पर दूसरे ही पल मैंने दुहराया,

मन में लगन हो, हाथों में बल हो, दिल में प्यार हो

तो क्या मुश्किल है कुछ कर गुज़रना...

इस बार नहीं तो

फिर कभी तो मंज़िल मेरे पैरों के नीचे होगी

कभी तो होगी...!

मंथन

सोचना था मुझे स्वयं पर ही,

करना था स्वमूल्यांकन

बरतनी थी निहायत ईमानदारी

हो सकती हूँ मैं कटु इसमें

पर

जाती है निगाह अपूर्णता पर हमेशा,

है यह एक सार्वभौम सत्य,

और मैं भी

इस सत्य का पालन करने में तत्पर

ढूँढ रही थी अपनी कमज़ोरियाँ ही !

पर नहीं

मुझे तो करना है तुलना अपने दो रूपों में,

मैं एक अल्हड़, बद-दिमाग़, बद-मिज़ाज, बातूनी लड़की,

लेकिन निहायत साफ़ दिल भी,

जो था दिल में, आता था जुबाँ पर,

महसूस करती थी ख़ुद को एक आकाश की तरह

खुला-खुला और बिखरा-बिखरा भी,

मुझे ज़रूरत रहती थी हमेशा एक अच्छे दोस्त की,

और बार-बार अच्छे दोस्त पाने के प्रयत्न में,

परिचितों की ग़ालत-फ़हमियों का शिकार बनती मैं,

नहीं सोचती कभी व्यवहारिकता पर

नहीं थी सहिष्णुता मुझमें

तब था क्या मुझमें...?

सबकी ख़ुशी को एक-एक पल में दम से जीना,

दुख में साथ रो लेना

मुसीबत में हाथ बढ़ा देना,

पर ख़ुद से ख़ुद को बचाती मैं

कभी-कभी सामना कर ही जाती अपने आप का

और बिखर जाती इतने दिनों की ओढ़ी हुई मुस्कान !

ख़ुद को दूसरों से बचाने के लिए की गयी हरकतें,

उघाड़ देती अपना मुलम्मा

और...

उस धुएँ में खो गया मेरा व्यक्तित्व,

मोहताज हो गई ख़ुद को दूसरों की नज़र से देखने को,

सबका नज़रिया अलग होने से

चिरती गयी आत्महीनता में

और बढ़ती गई फ़िज़ूल हरकतें,

पर एक सहारा अब भी था मेरे पास,

मेरी पुस्तकीय दुनिया,

हर तरफ से मिला बिखराव समेटती

मेरा अहं तुष्ट करती पुस्तकें,

और मैंने सीखा

ख़ुद को प्रतिष्ठित करने का ग़लत तरीक़ा, हमेशा दूसरों की ग़लतियों का
अध्ययन करो ताकि

न उड़ा सके कोई दूसरा तुम्हारा मज़ाक,

इस तरह कोशिश करो दूसरों से अलग दिखने की !

कर्मशील

उदास है आज फिर उन टूटे लम्हों के साथ

जिन्हें वह सहेजती है,

हर पल, हर समय !

जिनमें भरती है रंग आशा के, सपनों के

और बिखर जाते हैं वो पल,

अपनी उजड़ी, उदास, रुकी सी

ज़िंदगी की रौशनी छिनने के बाद भी

जो रंग भरती है वो कल्पना की आँखों से

क्यूँ बिखर जाते हैं परिंदों के घोंसलों से ?

कितना बोझिल और बेबस महसूस करती है ख़ुद को,

मन की आँखों से झाँकती वह

देख जाती है, माँ की,

अपने भविष्य की भयावहता से त्रस्त आँखें,

पापा की कुछ बनाते रहने को तत्पर आँखें,

माँ की उसाँसे हिला देती हैं हर बार उसे

क्यूँ नहीं भूलने देती अपनी कमज़ोरियों को मुझे

क्यूँ एहसास का बादल मँडराता है मेरे पास कि मैं अंधी हूँ !

मैं बनके दिखाऊँगी कुछ सबको,

अपने पापा की गुड़िया

मैं ढल जाऊँगी सारी, उनकी आँखों में

और तब शायद मम्मी भी समझ जाएँगी

कि किसी कमी को भुलाने के लिए

उसका ज़िक्र भी ना-गवार है,
या अपना अस्तित्व बनाने के लिए
शारीरिक सर्वांग होना ज़रूरी नहीं
अक्षुण्ण कला, गुणों की रहती है,
भटकेगी वह बार-बार अपनी अक्षमता में
पर रहेगी कर्मशील हर पल
और बना लेगी अपने चित्रों को
अपनी आँखें,
अनगिनत, सुंदर आँखें !

चुप्पी

आता है ग़ुस्सा हमें कई बार
ख़ुद पर,
करना चाहती हूँ इज़हार अपना
पर चूक जाती हूँ कहीं पर,
नहीं करना चाहती परेशान तुमको
पर लगता है,
तुम्हारी चुप्पी अजीब, रहस्यमयी है !

परिमार्जन

लगता है कहीं आप नाराज़ तो नहीं
शायद असफल रही हूँ मैं,
आपको समझने में
या आप मुझे समझने में,
हालाँकि मैं खुली क़िताब समझी जाती हूँ,
नहीं पहुँचना या रुकना चाहती हूँ
किसी निष्कर्ष पर,
बस रहना चाहती हूँ प्रयासरत
सतत अपने परिमार्जन के लिए !

अनुत्तरित प्रश्न

एक प्रश्न,

एक सवाल की तलाश में रहता है!

और सवाल की खोज में ही

न जाने कितने प्रश्न मिल जाते हैं,

कभी तो लगता है

कि यदि न होता प्रथम प्रश्न

तो कहाँ से पाते हम इतनी सारी पुस्तकें, इतना सारा ज्ञान

कितना सीमित है हमारा ज्ञान,

हम जान भी नहीं पाते

कि विश्व के साहित्य में क्या है

और गर्व करते रहते हैं

अपने सीमित से ज्ञान पर

साथ ही हो जाते हैं कूपमंडूक भी

यंत्रवत परीक्षाएँ देना

और आदतन भूल जाना ही लगता है तरीका हमारा,

पैदा किए गए प्रश्नों का सवाल देने की

हमारी जिज्ञासा, उत्सुकता गुम हो गई है,

...या गुम हो जाना चाहती है

रोटी, कपड़े और मकान की इस लंबी और अंधी दौड़ में

फिर भी प्रश्न तो हैं ही हमारे पास

अनगिनत, अपरिभाषित और अनुत्तरित प्रश्न!

शरारतें

मेरे जीवन की ख़ुशियाँ,
ये करूँगी मैं, वो करूँगी मैं
और क्या-क्या नहीं करूँगी मैं
उसकी नाक पकड़कर हिलाती मैं
उसकी पीठ से लिपटकर
उस पर झूल जाती मैं,
इतना परेशान करती
कि वो सच में रूठ जाता
और फिर प्यार से मनाती मैं
ओह ! कितने हसीन दिन हैं ये !
जब मैं होकर भी, नहीं होती मैं !

जब 60 की हो जाऊँगी मैं!

क्या ऐसे ख़याल आएँगे मन में

कि क्या कर रही हूँ मैं,

क्या मैं सचमुच जान पाऊँगी

कि क्यों आई इस धरा पर

या जानना चाहूँगी कि कहाँ जाऊँगी मैं

दिन-प्रतिदिन का व्यवहार करती क्या कहीं पहुँचूंगी मैं?

क्या मेरे ऊतक भी थक जाएंगे?

चेहरा भर जाएगा झुर्रियों से,

और अप्रासंगिक हो जाऊँगी मैं!

अकेली पड़ जाऊँगी

ये भय सताएगा!

क्या कर रही होऊँगी

जब 60 साल की हो जाऊँगी मैं?

अभी तो मैं सचमुच सोचती हूँ

कि कुछ ऐसा करते-करते इस धरा से जाऊँ

जो दे मुझे संतुष्टि और बाक़ियों को तनाव मुक्ति!

मुझे लगता है कि हर व्यक्ति को एक कवच में रहना चाहिए

जिसके अंदर हो नितांत अपना साम्राज्य,

कोई प्रवेश न कर सके जहाँ

और बाहर का व्यक्ति रहे तत्पर,

लौकिक व्यवहार को...खरोंचो, तपिश को झेलते हुए!

और अंदर का व्यक्ति,

जो उठाता है इतने सवाल,

ध्यान से, धैर्य से ढूंढ सके सारे जवाब,

रहें ऐसे वातावरण में

जो हो शांत और सक्रिय,

दे आपको अपने साथ रहने का सुख

मौन, नीरव, सुरम्य वातावरण

जहाँ न हो

किसी से सवाल की ज़रूरत

और जवाब की इच्छा !

प्रतीक्षित

वो एक झीना सा पर्दा था

मेरी आँखों के सामने

सिर्फ़ इसलिए

क्योंकि मैं दूर था,

परिस्थितियों से, वातावरण से !

अरमानों और स्वप्नों के यथार्थ से टकराव से

कभी होती है हताशा,

कभी निराशा, कभी खीज,

कुछ न कर पाने की लासदी !

पर इसके विपरीत

विचारों और भावनाओं के संघर्ष में विचारों की जीत

देती है जीत का उत्साह,

कुछ करने की चाह,

पर साथ ही एक प्रतीक्षा

किसी निश्चित भविष्य की !

रिश्तों की गरिमा और संबंधों की मधुरता का बोझ

अनचाहे ही भर देता है शुष्कता

जो घुल-घुल के

दिमाग़ से उतरने लगती है चेहरों पर !

खड़ा कर देती है ग़लतफ़हमियों का पहाड़,

माँग रहती है हर पक्ष की समझ की

अपनी सोचों पर मजबूरी के पुट की,

एक एहसास की जो एहसान न हो

जो समझ सके, जो समझा सके

कर्तव्य के इस दौर में!

मैं,

अनजाने ही डगमगाने लगी

पर उसकी शिक्षाएँ, प्रयास नहीं थे खोखले

और मैं भी प्रतीक्षित हूँ

परीक्षा में खरा उतरने को

किसी सहारे का स्तंभ बनने को !

मुखौटे

सपने जब देखे मैंने,

आँखें जब खोली मैंने

पाया हमेशा अपने आपको

एक अलग दुनिया में, वास्तविकता से दूर पुस्तकों के ढेर में

कभी ऊष्णता, कभी ठंडक पाते हुए

पर महज़ काग़ज़ी ही

चलते-चलते दुनिया में

जब कुछ बुने सपने साकार हुए

तब दिमाग़ के कोनों ने एक आवरण डाला ऐसे कोनों पर, जो विद्रोही थे

जो प्रगतिशील थे, समझते थे अपने आपको भी एक व्यक्तित्व,

उन समझदार कोनों ने समझाया

विद्रोही कोनों को

अरे नादानों, ज़िंदगी में यदि ये मौक़ा पाना है

तो मिटा दो अपने आपको

मत कह स्वहत्या इसे, कह इसे बलिदान

ये तो तेरा त्याग है

नारी तो आदर्श है हमेशा से जग में,

पर ये नादान बच्चों जैसे

अपने आप को महसूसने वाले कोने

चाहते हैं इतना प्यार, इतनी देखभाल

कि ये बातें सिर न उठाएँ!

भूल जाएँ वो ये भी

कि उनके कुछ सपने थे, कुछ अपने थे,

इसी कशमकश में रहती हूँ आजकल मैं

कभी ख़ुद को धोखा देती हूँ,

तो कभी ख़ुद से धोखा खाती हूँ,

पता नहीं कौन सा पक्ष सही है

पर इतना तो निश्चित है

कि समझदारी की उस सीमा को पाने तक जहाँ कोई द्वन्द न हो मुझमें

मुझे रहना पड़ेगा चढ़ाए

मुखौटों पर मुखौटे !

यथार्थ

शब्दों से खेलना

कभी-कभी लगता है एक भ्रम,

कभी एक मायाजाल

पर ख़ुद को बहलाने के लिए

ज़रूरी हो जाती है एक कल्पना की दुनिया,

जहाँ न चिन्ता हो चेहरे पर आती धूप की,

आँतों में कुलबुलाती भूख की

भागते रहो बस भागते रहो

एक आलौकिक दुनिया की ओर

पैर टकराते हैं धरा से

तब होता है एहसास

भागे जा रहे है स्वयं से

और तब की टूटन बनाती है

एक संपूर्ण व्यक्तित्व को निष्क्रिय

ख़ुद से लड़ता हुआ

पुस्तकों की दुनिया को यथार्थ में खोजता हुआ!

रंग फ़कीराना

लगता है सारी शक्ति लगा दूँ,

सारा संचित व्यय कर दूँ,

इन अथाह दुखों को दूर करने में

महसूस किया जब ख़ुद को एक ज़िम्मेदार पद पर

देखा अपनों को श्रम करते हुए सीमाहीन, शक्ति से ज़्यादा

तब लगा मैं भी कुछ करूँ

मेरे सपनों की दुनिया की वो शहज़ादी भी सोचती है मेरे जैसा, महसूसती है मुझे

लगता है मेरे सपने पूरे होंगे

बस थोड़ा सा इंतज़ार है

अपनी योग्यता के प्रदर्शित परिणाम की

और लगता है सब कुछ सुनहरा हो जाएगा ! पर ज़रूरत है एक बेहद साफ़-
सुथरी व्यवस्थित सोच की,

चादर उतनी, जितने पैर

निश्चित ही इच्छाओं का हनन लग सकता है पर मेरे लिए तो इच्छाओं का
विस्थापन भर है पर शहज़ादी चाहती है

जीवन की सिर्फ़ एक उपलब्धि

रंग फ़कीराना हो तो कोई गल नहीं !

पर स्वभाव हो अलमस्त

ख़ुद को बचाकर रख सकें

और उन चीज़ों का मज़ा ले सकें

जो सहज प्राप्य हैं

ख़ुशी, प्रशंसा, ग़म, उदासी, आँसू, प्यार, पूजा !